MEDITAÇÃO ANDANDO

Dados Internacionais de Catalogação na Publicação (CIP)
(Câmara Brasileira do Livro, SP, Brasil)

Nhat Hanh, Thich, 1926-
    Meditação andando : guia para a paz interior / Thich Nhat Hanh ; tradução de Edgar Orth. 21. ed. – Petrópolis, RJ : Vozes, 2014.

9ª reimpressão, 2025.

ISBN 978-85-326-0389-0

Título original: A guide to walking meditation

1. Meditação 2. Meditações budistas
3. Vida espiritual – Budismo   I. Título.

08-05996   CDD-294.3443

Índices para catálogo sistemático:
1. Budismo : Meditação   294.3443
2. Meditações budistas   294.3443

Meditação andando

GUIA PARA A PAZ INTERIOR

Thich Nhat Hanh

Tradução Edgar Orth

EDITORA VOZES

Petrópolis

© 1985, Thich Nhat Hanh

Tradução do original em inglês intitulado
A Guide to Walking Meditation

Direitos de publicação em língua portuguesa:
2006, Editora Vozes,100
Rua Frei Luís, 100
25689-900 Petrópolis, RJ
www.vozes.com.br
Brasil

Todos os direitos reservados. Nenhuma parte desta obra poderá ser
reproduzida ou transmitida por qualquer forma e/ou quaisquer meios
(eletrônico ou mecânico, incluindo fotocópia e gravação) ou arquivada
em qualquer sistema ou banco de dados sem permissão escrita da editora.

CONSELHO EDITORIAL	PRODUÇÃO EDITORIAL
Diretor	Aline L.R. de Barros
Volney J. Berkenbrock	Jailson Scota
	Marcelo Telles
Editores	Mirela de Oliveira
Aline dos Santos Carneiro	Natália França
Edrian Josué Pasini	Otaviano M. Cunha
Marilac Loraine Oleniki	Priscilla A.F. Alves
Welder Lancieri Marchini	Rafael de Oliveira
	Samuel Rezende
Conselheiros	Vanessa Luz
Elói Dionísio Piva	Verônica M. Guedes
Francisco Morás	
Gilberto Gonçalves Garcia	
Ludovico Garmus	
Teobaldo Heidemann	
Secretário executivo	
Leonardo A.R.T. dos Santos	

Capa: Omar Santos

ISBN 978-85-326-0389-0

Este livro foi composto e impresso pela Editora Vozes Ltda.

SUMÁRIO

Toda pessoa pode fazê-lo, 9

O momento atual, 10

Tudo depende de seus passos, 11

Ausência de meta, 13

Experimentar a paz, 14

Andar pacificamente, 15

Sorrir como Buda, 17

Reconquistar a soberania, 18

Tocar a terra, 19

Curar a mãe-terra, 21

Respiração consciente, 22

Contar, 23

Respirar naturalmente, 24

Equilíbrio maravilhoso de conscientização, 25

Permanecer firme na respiração, 26

Tomar mais ar puro, 27

Melhor circulação, 29

Intervivência, 30

Usar palavras em vez de números, 31

Eu cheguei, 32

Nosso verdadeiro lar, 33

Aqui e agora, 35

Nirvana, 36

A razão da existência, 37

Entrar em contato com a dimensão
absoluta, 39

A busca da felicidade, 40

Andar com uma criança, 41

A felicidade não é assunto particular, 43

Praticar durante a irritação, 44

Passos nutritivos, 45

Andar em benefício de todos os seres, 47

O importante é a maneira de andar, 48

Eu ando por você, 49

Gratidão, 50

Andando em momentos difíceis, 51

Viver profundamente, 53

Andando como tigre, 54

Prática informal, 55

Precisamos do tempo, 56

O caminho do despertar, 57

O selo de um imperador, 59

Uma flor desabrocha debaixo de cada
passo, 60

Voltar à terra, 61

O milagre está em andar sobre a terra, 63

Este mundo maravilhoso, 64

Andar na Terra Pura, 65

Cada passo é uma brisa que nasce, 67

Pegadas vazias, 68

Através da porteira deserta, 69

Tome a minha mão, 70

Beija a terra, 71

A terra espera por você, 73

O caminho acolhedor, 74

Volta, 75

Retorno acolhedor, 76

O caminho é você, 77

Paz andando, 78

Paz é todo passo, 79

Eu cheguei (música), 80

TODA PESSOA PODE FAZÊ-LO

Meditação andando é meditar enquanto se anda. Andamos devagar, de forma descontraída, mantendo um leve sorriso nos lábios. Com esta prática, nós nos sentimos profundamente à vontade, e nossos passos serão os da pessoa mais segura do mundo. Todas as nossas preocupações e ansiedades desaparecerão; paz e alegria vão encher o nosso coração. Toda pessoa pode fazê-lo. Leva apenas um pouco de tempo, requer um certo grau de consciência e o desejo de ser feliz.

O MOMENTO ATUAL

Alguém perguntou a Buda: "O que o senhor e seus discípulos praticam"? Ele respondeu: "Nós nos sentamos, nós andamos, nós comemos". O inquiridor continuou: "Mas, senhor, qualquer um se senta, anda e come". Buda lhe disse: "Quando nos sentamos, sabemos que estamos sentados. Quando andamos, sabemos que estamos andando. Quando comemos, sabemos que estamos comendo".

Na maior parte do tempo estamos perdidos no passado, ou arrebatados pelo futuro. Quando estamos conscientes, intensamente em contato com o momento atual, aprofunda-se a nossa compreensão do que está acontecendo e começamos a ser preenchidos de aceitação, alegria, paz e amor.

TUDO DEPENDE DE SEUS PASSOS

A semente da conscientização está em cada um de nós, mas normalmente esquecemos de regá-la. Pensamos que a felicidade só é possível no futuro – quando adquirimos uma casa, um carro, o diploma universitário. Lutamos de corpo e alma e não alcançamos a paz e a alegria que estão disponíveis agora mesmo – o céu azul, as folhas verdes, os olhos da pessoa amada.

O que é mais importante? Muitas pessoas passaram nos exames, compraram casas e carros, mas continuam infelizes. O mais importante é encontrar a paz e partilhá-la com os outros. Para ter paz você pode começar andando pacificamente. Tudo depende de seus passos.

AUSÊNCIA DE META

Encontramos no budismo a palavra *apra-nihita*. Significa ausência de desejo ou de meta. A ideia é esta: não colocamos nada diante de nós e não corremos atrás disto. Quando praticamos a meditação andando, andamos neste espírito. Apenas desfrutamos do prazer de andar, sem meta ou destino especial. Nosso caminhar não é um meio para um fim. Andamos pela simples razão de andar.

A.J. Muste disse: "Não há caminho para a paz; a paz é o caminho". Andar com a mente alerta traz paz e alegria e torna nossa vida real. Por que pressa? Nosso destino final será tão somente a sepultura. Por que não andar na direção da vida, desfrutando a paz em cada momento e a cada passo? Não há necessidade de luta. Sinta o prazer de cada passo. Nós já chegamos.

EXPERIMENTAR A PAZ

Se você pensa que a paz e a felicidade estão em outro lugar e você corre atrás delas, nunca chegará. Somente quando você perceber que a paz e a felicidade estão disponíveis aqui, no momento atual, será capaz de relaxar.

Na vida diária há muito que fazer e muito pouco tempo. Você pode sentir-se pressionado a correr o tempo todo. Pare! Toque profundamente o chão do momento atual e experimentará a verdadeira paz e alegria.

ANDAR PACIFICAMENTE

Se olhar com atenção, poderá observar todas as preocupações e ansiedades das pessoas impressas no chão enquanto andam. Nossos passos são em geral pesados, cheios de apreensão e medo. Sentimo-nos inseguros, e nossos passos o revelam.

Este mundo tem muitos caminhos. Alguns são ladeados de belas árvores, alguns contornam campos aromáticos, alguns se cobrem de folhas e flores caídas. Mas se andarmos neles com o coração pesado, nada disso apreciaremos.

Quando tínhamos um ou dois anos de idade, começamos a dar passos vacilantes. Agora precisamos aprender a andar de novo – devagar, com alegria e naturalidade. Após alguns dias de prática saberá como fazê-lo. Quando o vir andar em profundo conforto e paz, sorrirei feliz.

SORRIR COMO BUDA

Quando fizer o esforço de desvencilhar-se de suas preocupações e ansiedades, sorria, por favor. Pode ser apenas um esboço de sorriso, mas conserve-o nos lábios como o leve sorriso de Buda. Quando aprender a andar como Buda andou, poderá sorrir como Buda sorriu. Por que esperar até você estar completamente transformado e desperto? Você poderá começar agora já a ser um Buda em tempo parcial.

O leve sorriso é fruto de sua consciência de que você está aqui, vivo, andando. Ele nutre, ao mesmo tempo, mais paz e alegria dentro de você. Sorrir enquanto pratica a meditação andando manterá os seus passos calmos e em paz e lhe dará um profundo senso de bem-estar. O sorriso refresca todo o seu ser e fortalecerá sua prática. Não tenha medo de sorrir.

RECONQUISTAR A SOBERANIA

O seu sorriso prova que você não é um subalterno, mas que é soberano de si mesmo, que está dando o melhor de si. Chama-se às vezes de Buda "alguém que é soberano de si mesmo ou de si mesma". Os acontecimentos nos empolgam, e perdemos a nós mesmos. A meditação andando ajuda-nos a reconquistar nossa soberania, nossa liberdade como seres humanos. Andaremos então com graça e dignidade como um imperador, como um leão. Cada passo é vida.

TOCAR A TERRA

Quando foi desafiado por Mara – que personifica o ilusório – Buda tocou a terra com a mão direita e disse: "Com a terra por testemunha, ficarei sentado aqui em meditação até que experimente o verdadeiro despertar". Diante disso, Mara desapareceu.

Às vezes também nós somos visitados por Mara – quando sentimos irritação, insegurança, raiva ou infelicidade. Quando isto acontecer, toque o chão firmemente com seus pés. Pratique a meditação andando. A terra, nossa mãe, está cheia de grande amor por nós. Quando sofremos, ela nos protegerá, alimentando-nos com suas belas árvores, ervas e flores.

CURAR A MÃE-TERRA

Andar com a mente desperta sobre a terra pode restabelecer nossa paz e harmonia, e pode também restabelecer a paz e a harmonia da terra. Somos filhos da terra. Dependemos dela para nossa felicidade, e ela também depende de nós. Se a terra está bela, fresca e verde, ou árida e ressequida, isto depende do nosso modo de andar. Quando praticamos com beleza a meditação andando, massageamos a terra com os nossos pés e plantamos sementes de alegria e felicidade com cada passo. Nossa mãe há de curar-nos, e nós vamos curá-la.

RESPIRAÇÃO CONSCIENTE

A prática essencial, ensinada por Buda, foi a conscientização, incluindo a conscientização no respirar: "Ao inspirar, eu sei que estou inspirando. Ao expirar, eu sei que estou expirando". É semelhante a beber um copo de água fria. Quando inspiramos, sentimos de fato o ar penetrando em nossos pulmões. Na meditação sentada e na meditação andando, praticamos também isto: prestamos muita atenção a cada respiração e a cada passo.

CONTAR

Ao caminhar, pratique a respiração consciente, contando os passos. Observe cada respiração e o número de passos que dá ao inspirar e ao expirar.

Se der três passos durante uma inspiração, diga baixinho "um, dois, três", ou "dentro, dentro, dentro", uma palavra a cada passo. Se der três passos enquanto expira, diga "fora, fora, fora" a cada passo. Se der três passos enquanto inspira e quatro passos enquanto expira, diga "dentro, dentro, dentro. Fora, fora, fora, fora", ou "um, dois, três. Um, dois, três, quatro".

RESPIRAR NATURALMENTE

Não tente controlar sua respiração. Deixe a seus pulmões o tempo e o ar de que precisam. Observe apenas quantos passos você dá enquanto seus pulmões se enchem e quantos passos dá enquanto se esvaziam, prestando atenção à respiração e aos passos. O elo é a contagem.

Quando andar numa subida ou numa descida, o número de passos por respiração vai mudar. Siga sempre a necessidade de seus pulmões. Não tente controlar sua respiração nem seu andar. Observe-os apenas com atenção.

EQUILÍBRIO MARAVILHOSO
DE CONSCIENTIZAÇÃO

Quando você começa a praticar, sua expiração pode ser mais longa do que a inspiração. Pode acontecer que dê três passos durante a inspiração e quatro passos durante a expiração (3-4), ou dois passos/ três passos (2-3). Se isto lhe for confortável, continue praticando desse modo. Depois de estar praticando por algum tempo a meditação andando, provavelmente seu tempo de inspiração e expiração será o mesmo: 3-3, 2-2 ou 4-4.

Não esqueça de praticar sorrindo. Seu leve sorriso trará calma e prazer a seus passos e à sua respiração, e ajudará a manter sua atenção. Após ter praticado por meia hora ou por hora inteira, perceberá que sua respiração, passos, contagem e leve sorriso fundem-se num equilíbrio maravilhoso de conscientização.

PERMANECER FIRME
NA RESPIRAÇÃO

Se encontrar em seu caminho algo que gostaria de atingir com a sua consciência – o céu azul, as montanhas, uma árvore ou um pássaro – pare, mas continue a respirar conscientemente. Você pode manter vivo o objeto de sua contemplação por meio da respiração consciente. Se não respirar conscientemente, seu pensamento se recolherá mais cedo ou mais tarde, e desaparecerão o pássaro ou a árvore. Permaneça sempre firme em sua respiração.

TOMAR MAIS AR PURO

Após estar praticando por alguns dias, tente acrescentar um passo à sua expiração. Por exemplo, se sua respiração normal for 2-2, prolongue sua expiração, sem andar mais depressa, e pratique 2-3 por quatro ou cinco vezes. Depois, volte ao 2-2.

Na respiração normal, nunca expelimos todo o ar dos pulmões. Sempre sobra um pouco. Acrescentando outro passo à sua expiração, colocará para fora mais desse ar gasto. Não exagere. Quatro ou cinco vezes bastam. Mais do que isso pode cansá-lo. Depois de respirar assim por quatro ou cinco vezes, deixe a respiração voltar ao normal. Cinco ou dez minutos depois poderá repetir o processo. Lembre-se de acrescentar um passo à expiração e não à inspiração.

MELHOR CIRCULAÇÃO

Depois de praticar por alguns dias mais, é possível que seus pulmões lhe digam: "Se pudéssemos fazer 3-3 em vez de 2-2, seria formidável". Se a mensagem for clara, tente-o; mas, mesmo assim, só por quatro ou cinco vezes. Volte depois ao 2-2. Dentro de cinco ou dez minutos comece 2-3, e então 3-3 de novo.

Após alguns meses seus pulmões estarão mais saudáveis e seu sangue vai circular melhor. Sua maneira de respirar terá sido transformada.

INTERVIVÊNCIA

Na Aldeia das Ameixeiras, a comunidade de praticantes em que vivo na França, todos andamos sempre no estilo da meditação andando. Toda vez que vamos de um lugar a outro, mesmo que seja uma pequena distância – para a sala de meditação, para o refeitório ou mesmo para o banheiro – andamos conscientemente assim.

Sempre que vejo alguém andando conscientemente, ela ou ele são um toque de alerta para mim. Vendo seu andar consciente, experimento a paz, a alegria e a misteriosa presença de seu ser; e a paz, alegria e a misteriosa presença de mim mesmo.

USAR PALAVRAS
EM VEZ DE NÚMEROS

Podemos praticar a meditação andando contando passos ou usando palavras. Se, por exemplo, o ritmo de sua respiração for 3-3, você pode dizer baixinho enquanto anda: "Nasce uma flor. Nasce uma flor", ou: "O planeta verde. O planeta verde". Se o ritmo for 2-3, poderá dizer: "Nasce flor. Nasce uma flor", ou: "Andando sobre o planeta verde. Andando sobre o planeta verde", para um ritmo de 5-5. Ou: "Andando sobre o planeta verde. Estou andando sobre o planeta verde", para 5-6.

Nós não dizemos apenas palavras. Nós vemos realmente flores nascendo aos nossos pés. Nós nos tornamos realmente um com o nosso planeta verde. Sinta-se à vontade para usar sua criatividade e sabedoria. A meditação andando é para seu prazer. Não é trabalho forçado.

EU CHEGUEI

Pode-se praticar também a meditação andando com o uso dos versos de um poema. No budismo zen, poesia e prática andam sempre juntas.

Eu cheguei.
Tenho aqui
no agora
o meu lar.
Eu sou firme.
Eu sou livre.
Eu habito
no absoluto.

NOSSO VERDADEIRO LAR

Quando praticamos a meditação andando, chegamos a todo momento. Nosso verdadeiro lar é o momento atual. Quando entramos profundamente no momento atual, nossas queixas e preocupações desaparecem, e descobrimos a vida com todas as suas maravilhas. Inspirando, dizemos a nós mesmos: "Eu cheguei". Expirando, dizemos: "O meu lar". Fazendo isso, superamos a dispersão e habitamos pacificamente no momento atual, que é o momento absoluto de conscientização para nós.

AQUI E AGORA

É agradável praticar com as palavras de um verso como "Eu cheguei". Quando você inspira, diz a cada passo "Cheguei"; e quando expira, diz a cada passo: "Lar". Se o seu ritmo for 2-3, dirá: "Cheguei, cheguei. Lar, lar, lar", coordenando as palavras e os passos conforme o ritmo de sua respiração.

Após praticar "cheguei/lar" por algum tempo e sentir-se relaxado e bem alerta a cada passo e a cada respiração, pode mudar para "aqui/agora". As palavras são diferentes, mas o exercício é o mesmo.

NIRVANA

Quando você começa a chegar com cada passo, torna-se mais firme. Tornando-se mais firme, ficará mais livre. Firmeza e liberdade são dois aspectos do nirvana, o estado de libertação da angústia, medo e ansiedade.

A prática deve ser agradável. Quando você está feliz, crescem sua firmeza e liberdade, e você saberá que está no caminho da prática correta. Você não precisa de professor para lhe dizer se está gostando do exercício. Se estiver gostando, você se sentirá firme e livre. Então poderá praticar "firme/livre" enquanto estiver andando.

A RAZÃO DA EXISTÊNCIA

Há duas dimensões na vida: a dimensão histórica, em que você se identifica pelo nascimento e pela morte, por altos e baixos, começos e fins; e a dimensão absoluta, em que você percebe que tudo isso são apenas conceitos. Quando sua firmeza e liberdade ficarem mais fortes, começará a entrar em contato com a razão de sua existência, que é a dimensão absoluta da realidade, e abre-se a porta do não nascimento e da não morte.

ENTRAR EM CONTATO COM A DIMENSÃO ABSOLUTA

A imagem usada muitas vezes para as duas dimensões da vida é a da água e das ondas. Na superfície do oceano há muitas ondas – algumas altas e outras baixas, algumas belas e outras menos belas. Todas têm um começo e um fim. Mas quando se entra em contato mais direto com as ondas, percebe-se que elas são feitas apenas de água; e, do ponto de vista da água, não há começo nem fim, não há alto nem baixo, não há nascimento nem morte.

Quando se entra em contato mais direto com a água – a razão da existência – pode-se praticar a última linha do verso: "Eu habito no absoluto". Ao inspirar, diga: "Absoluto" a cada passo; e ao expirar, diga: "Eu habito". Isto não são meras palavras. Se você as praticar realmente, entrará em contato com o mundo do não nascimento e da não morte a cada passo.

A BUSCA DA FELICIDADE

Permita a você mesmo ser. Quando você pratica a meditação andando, cada passo vai ajudá-lo a chegar profundamente ao momento atual. Você não precisa de mais nada para entrar em contato com a verdadeira felicidade.

Quando seu nariz está entupido, pode ser difícil desfrutar de sua respiração. Mas agora você pode respirar à vontade e procure desfrutar de cada respiração. Isto já é paz e felicidade. Quando expirar, sorria. Expirar ajuda a eliminar muitas toxinas. Inspirar e expirar, principalmente quando o ar não está muito poluído, é um exercício de paz e felicidade.

Cultivando a paz e a felicidade em nós mesmos, também alimentamos a paz e a felicidade naqueles que amamos. Podemos, de fato, desfrutar de cada respiração e de cada passo para todos nas dez direções.

ANDAR COM UMA CRIANÇA

Quando estiver andando, você gostará talvez de pegar na mão de uma criança. Ela receberá sua concentração e estabilidade, e você receberá o frescor e a inocência dela. Às vezes ela terá vontade de correr para diante, então prossiga normalmente até alcançá-la. Uma criança é uma sineta de alerta, lembrando-nos de quão maravilhosa é a vida.

Na Aldeia das Ameixeiras eu ensino às pessoas jovens um verso bem simples para praticarem enquanto andam: "Oui, oui, oui", enquanto inspiram, e "Merci, merci, merci", enquanto expiram. "Sim, sim, sim. Obrigado, obrigado, obrigado." Quero que respondam de maneira positiva à vida, à sociedade e à terra. Elas apreciam isto muito.

A FELICIDADE NÃO É
ASSUNTO PARTICULAR

Todos os nossos antepassados e todas as gerações futuras estão presentes em nós. A libertação não é assunto particular. Enquanto os antepassados estão sofrendo em nós, não podemos ser felizes, e nós transmitiremos este sofrimento aos nossos filhos e aos filhos deles.

Agora é o tempo de libertar os nossos antepassados e as gerações futuras. Isto significa libertar a nós mesmos. Se conseguimos dar um passo com liberdade e felicidade, tocando a terra com a mente desperta, podemos dar uma centena. Nós o fazemos para nós mesmos e para todas as gerações passadas e futuras. Todos nós chegaremos ao mesmo tempo e encontraremos a paz e a felicidade juntos.

PRATICAR DURANTE A IRRITAÇÃO

Quando surge a irritação, a meditação andando pode ser de grande ajuda. Tente recitar este verso enquanto anda:

Inspirando, eu sei que a irritação está em mim.

Expirando, eu sei que este sentimento é desagradável.

(Depois de algum tempo): Inspirando, estou calmo.

Expirando, agora estou bastante forte para controlar este sentimento.

Até conseguir a calma suficiente para encarar de frente a irritação, continue desfrutando simplesmente de sua respiração, de seu caminhar e das belezas ao ar livre. Depois de algum tempo a irritação vai diminuir e você estará forte o bastante para encará-la de frente, para entender suas causas e para começar o trabalho de transformá-la.

PASSOS NUTRITIVOS

A meditação andando é semelhante ao comer. Com cada passo alimentamos nosso corpo e espírito. Quando caminhamos com ansiedade e preocupação, isto se parece a restos de comida. O alimento da meditação andando deve ser de qualidade superior. Vá andando devagar e desfrute do banquete da paz.

ANDAR EM BENEFÍCIO
DE TODOS OS SERES

O ar é mais puro de manhã bem cedo e à noitinha. É a melhor hora para desfrutar da meditação andando. Deixe que a energia desse ar puro penetre em você.

Quando você pratica a meditação andando de manhã, seus movimentos ficarão serenos e sua mente ficará desperta. Estará mais consciente de seus atos durante o dia todo. Ao tomar decisões, perceberá que está mais calmo e lúcido, com mais intuição e compaixão. Todo passo pacífico que der há de beneficiar todos os seres próximos e distantes.

O IMPORTANTE É A
MANEIRA DE ANDAR

Buda imprimia paz, alegria e serenidade sobre a terra a cada passo que dava. Há mais de trinta anos, quando visitei a montanha Gridhrakuta, onde Buda ensinava, andei pelos mesmos caminhos onde ele andou. Pisei o mesmo solo que ele pisou. Sentei-me sobre uma pedra em que ele, provavelmente, se sentou. Contemplando o pôr do sol vermelho e brilhante, eu entendi Buda e eu estava contemplando o mesmo sol no mesmo horário.

Se andarmos como Buda, continuaremos o seu trabalho. Nós alimentamos a semente do ser Buda em nós mesmos e mostramos nossa gratidão a Buda não pelo que dizemos, mas pela maneira com que damos passos pacíficos e felizes na terra.

EU ANDO POR VOCÊ

A guerra do Vietnã causou inúmeros ferimentos na mente e no corpo de pessoas de ambos os lados. Muitos soldados e civis perderam um braço ou uma perna e já não podiam juntar as palmas das mãos em reverência a Buda ou praticar a meditação andando. Anos atrás chegaram ao nosso centro de recolhimento duas dessas pessoas, e tivemos de encontrar um meio para elas praticarem a meditação andando. Pedi que sentassem numa cadeira, escolhessem alguém que estivesse praticando a meditação andando, e se tornassem uma só pessoa com ele, seguindo os seus passos com plena consciência. Dessa forma deram passos pacíficos e serenos com seus parceiros, ainda que eles mesmos não pudessem andar. Vi lágrimas de felicidade em seus olhos.

GRATIDÃO

Nós que temos duas pernas podemos praticar facilmente a meditação andando. Não devemos esquecer de ser gratos. Andamos por nós mesmos e por aqueles que não podem andar. Nós andamos por todos os seres vivos: passados, presentes e futuros.

ANDANDO EM MOMENTOS DIFÍCEIS

Em 1976 fui ao golfo de Sião para ajudar as pessoas que estavam em barcos à deriva no mar. Alugamos três navios para resgatá-las e conduzi-las a um porto seguro. Havia setecentas pessoas em nossos navios à deriva no mar, quando as autoridades de Cingapura me deram ordens de deixar o país e abandonar os refugiados. Eram duas horas da manhã, e eu teria que partir dentro de vinte e quatro horas.

Eu sabia que se não encontrasse paz neste momento difícil, jamais encontraria a paz. Então pratiquei a meditação andando durante o resto da noite em meu pequeno quarto. Às seis horas, quando o sol nascia, ocorreu-me uma solução. Se a gente entra em pânico, não se sabe o que fazer. Mas praticando a respiração, o sorriso e o caminhar, uma solução vai aparecer.

VIVER PROFUNDAMENTE

A primeira das Verdades Nobres, ensinada por Buda, é a presença do sofrimento. A consciência do sofrimento gera a compaixão, e a compaixão gera a vontade de praticar o Caminho.

Quando voltei à França, após a tentativa de ajudar as pessoas dos barcos, a vida aqui me pareceu estranha. Há pouco eu vira refugiados sendo espoliados, violentados e mortos no mar, enquanto em Paris as lojas estavam cheias de toda espécie de produtos e as pessoas bebiam café e vinho sob luzes de neon. Parecia um sonho. Como era possível tamanha disparidade? Consciente do profundo sofrimento no mundo, jurei não viver superficialmente.

ANDANDO COMO TIGRE

Quando você começa a praticar a meditação andando, poderá sentir-se desajeitado, como a criança que está aprendendo a andar. Siga sua respiração, concentre-se em seus passos e logo encontrará seu equilíbrio. Visualize um tigre andando devagar e perceberá que seus passos vão ficando majestosos como os dele.

PRÁTICA INFORMAL

Não há necessidade de juntar as palmas das mãos ou assumir um ar solene para praticar a meditação andando. Se possível, escolha uma trilha sossegada num parque, próxima a um lago ou ao longo de um rio.

A melhor prática é a informal. Não ande tão devagar que as pessoas pensem que você é esquisito. Ande de forma tal que as pessoas nem percebam que você está praticando. Se encontrar alguém no caminho, sorria apenas e continue andando.

PRECISAMOS DO TEMPO

Você pode praticar a meditação andando nos intervalos de encontros, a caminho de seu carro, para cima e para baixo de escadas. Se for para algum lugar, tome o tempo necessário para praticar. Em vez de três minutos, dê a você mesmo oito ou dez minutos. Sempre que vou ao aeroporto, saio uma hora antes para lá praticar a meditação andando. Os amigos querem ficar comigo até o último minuto, mas eu resisto. Digo-lhes que preciso desse tempo.

O CAMINHO DO DESPERTAR

A prática da meditação andando abre-nos os olhos para as maravilhas e sofrimentos do universo. Se não estivermos conscientes do que acontece ao nosso redor, onde esperamos encontrar a realidade absoluta?

Todo caminho pode servir para a meditação andando, desde alamedas e trilhas dentro de aromáticos campos de arroz, até os becos sujos de Mostar e as estradas cheias de minas do Cambodja. Quando você está desperto, não hesitará diante de nenhum caminho.

Você sofrerá, não por causa de suas próprias preocupações e temores, mas por causa de seu amor por todos os seres. Quando você se abre dessa maneira, os seus companheiros serão outros seres no caminho do despertar e partilharão de seu modo de ver. Trabalharão com você, lado a lado, para aliviar o sofrimento do mundo.

O SELO DE UM IMPERADOR

Ande ereto, com calma, dignidade e alegria como se fosse um imperador. Coloque o seu pé no chão como um imperador coloca seu selo num decreto. Um decreto pode trazer felicidade ou miséria. Os seus passos podem fazer o mesmo. Se os seus passos forem pacíficos, o mundo terá paz. Se você consegue dar um passo pacífico, então a paz é possível.

UMA FLOR DESABROCHA
DEBAIXO DE CADA PASSO

Quando o bebê Buda nasceu, ele deu sete passos e, sob cada passo, apareceu uma flor de lótus. Quando você pratica a meditação andando, pode fazer o mesmo. Visualize uma lótus, uma tulipa ou uma gardênia florescendo debaixo de cada passo no instante em que seu pé toca o chão. Se você praticar dessa maneira bela, seus amigos verão campos de flores em toda parte por onde você andar.

VOLTAR À TERRA

Imagine que você e eu somos astronautas. Pousamos na lua e percebemos que a volta à terra é impossível porque nossa nave está quebrada e sem conserto. Ficaremos sem oxigênio antes que a central de controle de Houston possa mandar outra nave para nos resgatar. Só temos dois dias de vida. Qual seria o nosso maior desejo? O que nos tornaria mais felizes do que voltar para o nosso belo planeta e andar sobre ele? Quando confrontados com a morte, tomamos consciência da preciosidade que é andar sobre a terra verde.

Por um acaso maravilhoso sobrevivemos e fomos levados de volta à terra. Vamos celebrar nossa alegria, andando juntos sobre nosso belo planeta com profunda paz e concentração.

O MILAGRE ESTÁ EM
ANDAR SOBRE A TERRA

As pessoas dizem que é milagre andar sobre a água; mas para mim o verdadeiro milagre está em andar pacificamente sobre a terra. A terra é um milagre. Cada passo é um milagre. Dar passos sobre o nosso belo planeta pode trazer a verdadeira felicidade.

Quando você andar, tome consciência de seu pé, do chão e da conexão entre eles, que é sua respiração consciente. Pratique "O selo de um imperador", "Uma flor desabrocha debaixo de cada passo" e "Voltar à terra" como temas de seu caminhar.

ESTE MUNDO MARAVILHOSO

Diz-se que a Terra Pura de Amitabha Buda tem pequenos lagos de lótus, árvores com sete joias, estradas pavimentadas de ouro e pássaros celestiais. Mas para mim, estradas de chão com campinas e pés de limão são mais bonitas. Quando eu era monge-noviço, disse ao meu mestre: "Se a Terra Pura não tiver pés de limão, não quero ir para lá". Ele deve ter pensado que eu era um tolo. Ele não disse nada.

Mais tarde aprendi que este mundo e a Terra Pura procedem ambos da mente. Isto me fez muito feliz. Entendi que, ao caminhar conscientemente, a gente já se encontra na Terra Pura.

ANDAR NA TERRA PURA

Se eu tivesse poderes sobrenaturais, levaria você à Terra Pura de Amitabha Buda, onde tudo é lindo. Mas se você levar para lá suas preocupações e ansiedades, vai profaná-la. Para estar preparado para entrar na Terra Pura, você deverá aprender a dar passos pacíficos e livres de ansiedade. Mas se você pode aprender a dar passos pacíficos e livres de ansiedade na terra, não precisa ir à Terra Pura. Quando você é pacífico e livre, a própria terra torna-se uma Terra Pura, e não há necessidade de ir a outro lugar.

CADA PASSO É UMA
BRISA QUE NASCE

Na entrada de um caminho de meditação andando num templo zen do Vietnã há uma grande pedra com a seguinte inscrição: "Cada passo é uma brisa que nasce". A brisa é a paz e a alegria, que leva para longe o ardor do infortúnio. Se você andar assim, fará isto por você e por todos os seres.

PEGADAS VAZIAS

Pé e terra se tocam.
Girassóis radiantes enchem nossos olhos.
Ao longe ronca o trovão.
Doces gotas descem por nossas faces.
Penetrando em cheio no mundo de
      nascimento e morte,
nossas lágrimas alimentam todos os seres.
Transcendendo o mundo de nascimento
      e morte,
pegadas vazias vão a lugar nenhum.

ATRAVÉS DA PORTEIRA DESERTA

Através da porteira deserta,
cheio de folhas amarelas,
eu sigo o caminho estreito.
A terra está vermelha como lábios
    de criança.
De repente
estou consciente
de cada passo
que dou.

TOME A MINHA MÃO

Tome a minha mão.
Vamos caminhar.
Vamos apenas caminhar.
Vamos desfrutar de nossa caminhada
sem pensar e sem chegar a lugar nenhum.
Caminhar pacificamente,
caminhar alegremente.
Nossa caminhada é de paz.
Nossa caminhada é de felicidade.

BEIJA A TERRA

Anda e apalpa a paz a todo instante.
Anda e apalpa a felicidade a todo instante.
Cada passo traz uma brisa refrescante.
Cada passo faz uma flor desabrochar.
Beija a terra com teus pés.
Dá à terra teu amor e tua felicidade.
A terra estará segura
quando sentirmos segurança em
        nós mesmos.

A TERRA ESPERA POR VOCÊ

A terra é sempre paciente e de coração
   aberto.
Ela espera por você
Esperou por você
pelos últimos trilhões de períodos.
Pode esperar por qualquer extensão
   de tempo.
Ela sabe que você voltará a ela um dia.
Refrescante e verde ela o acolherá,
exatamente como da primeira vez,
porque o amor nunca diz: "Esta é a
   última vez";
porque a terra é mãe amorosa.
Ela jamais deixará de esperar por você.

O CAMINHO ACOLHEDOR

O caminho vazio te dá as boas-vindas
com o perfume da relva e de pequenas
    flores;
o caminho ao longo de campos de arroz,
trazendo ainda as marcas de tua infância
e o perfume da mão de mãe.
Caminhe despreocupadamente,
    pacificamente.
Teus pés tocam a terra em profundidade.
Não permitas que teus pensamentos te
    levem embora.
Volta ao caminho sempre de novo.
O caminho é teu dileto amigo.
Ele vai transmitir-te
sua solidariedade
e sua paz.

VOLTA

Com tua respiração consciente
pratica tocar a terra em profundidade.
Anda como se estivesses beijando a terra
        com teus pés,
como que massageando a terra a cada
        passo.
Tuas pegadas
serão as impressões de um selo imperial,
chamando o agora para voltar ao aqui,
para que a vida esteja presente,
para que teu sangue traga à tua face o
        colorido do amor,
para que apareçam as maravilhas da vida,
e que todas as ansiedades se transformem
        em
paz e alegria.

RETORNO ACOLHEDOR

Houve tempos em que você fracassou.
Andando no caminho vazio, você
    pairava no ar,
perdido no ciclo de nascimento e morte
e mergulhado no mundo da ilusão.
Mas o belo caminho é paciente,
sempre esperando que você volte,
este caminho tão familiar a você
e tão confiável.
Ele sabe que você voltará um dia
e ele o acolherá em seu retorno.
O caminho será estimulante e belo como
    da primeira vez.
O amor nunca diz que esta é a última vez.

O CAMINHO É VOCÊ

O caminho é você.
Eis por que nunca cansará de esperar.
Quer esteja coberto de pó vermelho,
de folhas outonais,
ou de neve glacial,
volte ao caminho.
Você há de ser qual árvore da vida.
Suas folhas, tronco, ramos
e as flores de sua alma
serão viçosas e lindas,
assim que você entrar na prática de tocar
    a terra.

PAZ ANDANDO

Paz é o andar.
Felicidade é o andar.
Ande por você mesmo
e andará por todos nós.

PAZ É TODO PASSO

Paz é todo passo.
O sol vermelho e brilhante é meu coração.
Toda flor sorri comigo.
Como é verde e fresco tudo que cresce.
Como é frio o vento que sopra.
Paz é todo passo.
Ele transforma em alegria o caminho interminável.